安房直子 絵ぶんこ 9

# あるジャム屋《や》の話《はなし》

安房直子 文　伊藤夏紀 絵

若《わか》いころから、人《ひと》づきあいのへたなわたしでした。

大学卒業《だいがくそつぎょう》して、一流《いちりゅう》といわれる会社《かいしゃ》に就職《しゅうしょく》しましたものの、ほんの一年《ねん》でやめました。やめて、故郷《くに》に帰《かえ》って、しばらくごろごろしていたとき、ジャムのことを思《おも》いついたのです。

あのときは、庭《にわ》のあんずが、鈴《すず》なりでしてね、父親《ちちおや》が、じょうだんまじりに、

「おまえ、仕事《しごと》がないんなら、このあんずみんな売《う》ってこい。」

といったのが、ことのはじまりでした。わたしはねころがって、ぼんやり庭《にわ》を見《み》ていました。すると、うしろで、母《はは》の声《こえ》がしました。

「ことしは、あんずのあたり年《どし》でねえ、ジャムを、いくらつくっても、つくりきれないよ。」

このときふっと、わたしの胸《むね》に、ジャムの煮《に》えるあのなんともいえないいいにおいが、うかんできたのです。子《こ》どものころから母《はは》は、庭《にわ》のあんずでジャムを煮《に》ていました。あまずっぱいゆげのたちのぼる、大《おお》きなべをかきまぜる役目《やくめ》は、いつもわたしでした。

「どうせ売《う》るなら、ジャムにして売《う》ったら？」

と、わたしはつぶやきました。そしてこのとき、自分《じぶん》で自分《じぶん》のことばにはっとして、とびおきたのです。ああ、あのとき、夜《よ》明《あ》けのようなものが、わたしの胸《むね》にひろがりました。

「よし、ひとつぼくがやってみるよ！」

わたしは、庭《にわ》へとびだしていって、あんずを集《あつ》めました。そして、かごいっぱいのあんずをかかえて、台所《だいどころ》へ、かけこみました。

「母《かあ》さん、大《おお》きななべはどこ？　それから砂《さ》糖《とう》は？」

いま思《おも》えば、これがわたしの、新《あたら》しい仕《し》事《ごと》のはじまりでした。

それからというもの、わたしは、くる日《ひ》もくる日《ひ》も、あんずのジャムを煮《に》ました。そして、それを、小《ちい》さいびんに入《い》れて、親戚《しんせき》や、となり近所《きんじょ》にくばりました。

評判《ひょうばん》は、いろいろでした。

もうすこしあまいほうがいいとか、ぎゃくに、砂糖《さとう》をひかえて、自然《しぜん》の味《あじ》をだすほうがいいとか、ハチミツを入《い》れるといいとか、みんな、なかなか親切《しんせつ》に、批評《ひひょう》してくれました。

わたしは、すっかり気《き》をよくして、ますます熱《ねっ》心《しん》に、ジャムづくりにはげみました。ところが、それから三か月後《げつご》、わたしが、森《もり》の中《なか》に、小屋《こや》をひとつたてて、そこで、ジャムづくりに専念《せんねん》しだしますと、まわりの人《ひと》たちは、こんどは、申《もう》しあ

わせたように、なにもいってくれなくなりました。そのかわりに、こんなひそひそ話《ばなし》をしだしたのです。

「おどろいたねえ。」

「大《だい》の男《おとこ》が、昼間《ひるま》っからあんなところでジャムなんかこしらえて。」

「まったく、ものずきな。」

みんな、あきれたらしいのです。両親《りょうしん》も、いやな顔《かお》をして、そんなばかなまねはやめにして、もういちど、会社《かいしゃ》づとめをしてくれと、たのみました。けれども、わたしの心《こころ》は、もう決《き》まっていたのです。わたしは、意地《いじ》になりました。意地《いじ》になって、小屋《こや》の中《なか》に、大《おお》きなかまどをこしらえて、小屋《こや》の外《そと》には、大《おお》きな看板《かんばん》をたてたのです。

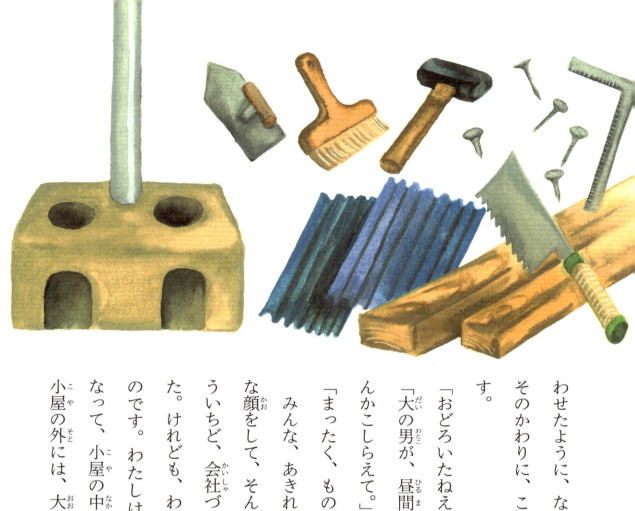

ジャムの
森野屋

## ジャムの森野屋《もりのや》

看板《かんばん》をたてたら、わたしの心《こころ》は、しゃんとなりました。だれがなんといおうと、おれはジャム屋《や》なんだと、思《おも》ったのです。そうと決《き》まったら、あんずジャムだけではいけません。もっといろんなくだものを使《つか》って、いろんなジャムをつくってみなければいけません。わたしの心《こころ》は、夢《ゆめ》でふくらみました。ちょうど秋《あき》で、おいしいくだものが、あとからあとからできるころでした。わたしは、近《ちか》くの農家《のうか》や、果樹園《かじゅえん》をまわっては、ジャムにするくだものを集《あつ》めました。

はじめの資金《しきん》は、父親《ちちおや》から借《か》りました。それで、くだものや砂糖《さとう》や、ジャムを入《い》れるびんなんかを買《か》いましてね、何回《なんかい》も何回《なんかい》も、失敗《しっぱい》をかさねたすえに、どうやらこうやら、売《う》りものになるジャムをつくれるようになったのが、翌々年《よくよくねん》だったでしょうか。保健所《ほけんじょ》の許《きょ》可《か》もとりましてね、車《くるま》も一台《だい》、中古《ちゅうこ》のを買《か》って、そこに、つくりたてのジャムをいろいろ積《つ》んで、いよいよ売《う》りにでたのです。

町《まち》の食料品店《しょくりょうひんてん》にでも持《も》ってゆけば、ジャムは、すぐに買《か》ってもらえると、わたしは信《しん》じていました。ところが、どうしてどうして、世《よ》の中《なか》って、きびしいものですね。どこへ持《も》っていったって、わたしのジャムは相手《あいて》にされません。あのころは、ジャムなら並木《なみき》屋《や》ときまっていて、どの店《みせ》のたなにも、並木屋《なみきや》のジャムが、ずらりとならんでいたのです。わたしは、いく日《にち》もかけて、町《まち》から町《まち》へまわりましたが、どの食料品店《しょくりょうひんてん》の主人《しゅじん》も、名《な》もないメーカーのものは、買《か》いたがらなかったのです。そのうえ、わたしの口《くち》べたなところも、わざわいしました。もうすこし、うまく売《う》りこめば、買《か》ってもらえたかもしれないものを、わたしは、ひとことことわられただけで、いくじなくひきさがってしまったのでした。そんなわけで、いつまでたってもわたしのジャムは、ひとびんも売《う》れず、わたしの心《こころ》はだんだん重《おも》くなってゆきました。

なにをやっても、自分《じぶん》はだめなんだなあという思《おも》いが、あとからあとから、わいてきました。わたしは、自分《じぶん》で自分《じぶん》を、わらいました。能《のう》なしめ。おまえは、だまってジャムを煮《に》るという、ただそれだけしかできない男《おとこ》じゃないか……。

そんなことを思《おも》い思《おも》い、のろのろと車《くるま》を運転《うんてん》して、わたしが、森《もり》にもどったある晩《ばん》のこと。

あれは、七時《じ》すぎだったでしょうか、ふしぎなことに気《き》づきました。

森《もり》の奥《おく》に、あかりがひとつ、ともっていたのです。そして、それはどうやら、わたしの小屋《こや》の位置《いち》なのです。わたしは、自分《じぶん》の目《め》をうたがいました。あのころは、まだ電灯《でんとう》をひいていませんでしたから、ランプを使《つか》っていたのです。そのランプを、だれかがかってにつけて、わたしの小屋《こや》の中《なか》で、なにかしている……。

きゅうに、わたしは、胸《むね》がドキドキしてきました。小屋《こや》のそばで、車《くるま》を止《と》めて、おりると、わたしは、小屋《こや》に近《ちか》づいてゆきました。

すると、小屋《こや》の中《なか》から、カチャカチャと音《おと》がします。お皿《さら》やスプーンの音《おと》です。

（たしかに、だれかいるぞ……。）

わたしは、そおっと、小屋《こや》のドアをあけました。そして、小屋《こや》の中《なか》をのぞきこんで、ぎょうてんしました。

見《み》たこともないようなきれいな牝鹿《めじか》が一匹《ぴき》、わたしのいすにこしかけて、なにか食《た》べていたのですから。

テーブルの上《うえ》には、わたしの皿《さら》と、わたしのティーカップ。そして、皿《さら》の上《うえ》には、白《しろ》いパンがひときれのっていて、そのパンの上《うえ》には、わたしのつくったいちごジャムが、たっぷりと、のせられていました。そのジャムを、鹿《しか》は、いかにも、おいしそうに食《た》べているのです。目《め》をほそめて、色《いろ》をながめ、鼻《はな》をふくらませて、かおりを楽《たの》しみ、それから、なにをしたと思《おも》います？

鹿《しか》は、パンの上《うえ》のジャムを、ひとさじ、すくいあげて、ゆげのあがっているティーカップの中《なか》に落《お》としたのです。

（ロシア紅茶《こうちゃ》！）

わたしは、すっかりうれしくなりました。わたしのジャムを、紅茶《こうちゃ》に入《い》れて飲《の》んでくれる人《ひと》がいるなんて……。鹿《しか》が、ティーカップを、口《くち》にはこんだとたん、わたしは思《おも》わず、

「おいしいかい？」

と、たずねてしまいました。すると、鹿《しか》は、とびあがるほど、おどろきました。体《からだ》をぴくりとさせ、おびえた大《おお》きな目《め》で、わたしをじっと見《み》つめました。

「ごめん。おどかして。」

わたしはなんだか、鹿《しか》の家《いえ》にきて、鹿《しか》の食事《しょくじ》のじゃまをしたような気持《きも》ちになりました。

ところが、鹿《しか》のほうも、なかなか、礼儀正《れいぎただ》しいのです。

「いいえ。わたしのほうこそ、いつも、おいしいジャムを、ごちそうしてもらって……。」

なんていうじゃありませんか。

「いつもって……あの、それじゃ、あんた……。」

ふと、思《おも》いあたることがありました。わたしはこのごろ、ジャムを煮《に》たあとのなべを、そのままにして外《そと》に出《で》ていたのですが、帰《かえ》ってみますと、そのなべが、すっかりきれいになっていたのでした。大《おお》きななべですから、スプーンでかきあつめれば、かなりたくさん

のジャムが、とれるはずです。

「いままでも、ぼくのジャム、なめてたのかい？」

鹿《しか》は、こくんとうなずきました。それからこういいました。

「だって、あんまり、いいにおいがするんですもの……。朝《あさ》からあんなにおいを、森《もり》じゅうに流《なが》していたら、だれだって、のぞいてみたくなるし、だれもいなけりゃ、ちょっとはいって、なめてみたくもなるし……。」

そりゃそうだろうと、わたしは、うなずきました。そして、

「どうだい？　ぼくのジャムの味《あじ》。」

と、たずねますと、鹿《しか》の娘《むすめ》は、ふかぶかとうなずいて、

「すばらしいです。色《いろ》もかおりも最高《さいこう》です」なんていいましたから、わたしは、すっかり気《き》をよくしました。新《あたら》しい理《り》解《かい》者《しゃ》ができたような気《き》がしました。わたしは、いすにすわって、そわそわしながら、

「そ、そりゃよかった。」

と、いいました。すると、鹿《しか》は、大《おお》きな目《め》をしばたたいて、

「このごろ毎日《まいにち》、おでかけですね。」

と、いいました。

「うん。ジャムを売《う》りにでているのさ。」

「そうですか。こんなにおいしいジャムだから、よく売《う》れるでしょ。」

「ところが、それが、ぜんぜんだめでねえ。」

わたしは、ほーっと、ため息《いき》をつきました。

「森野屋《もりのや》のジャムだなんていったって、だれも相手《あいて》にしてくれやしない。びんづめにしたジャムが、いま、三百個《びゃくこ》もあるけど、一個《こ》も売《う》れないのさ。」

「三百個《びゃくこ》のジャムが、ぜんぜん売《う》れないのですって？」

「そう。あの車《くるま》にぎっしりいっぱいさ。」

わたしは、わざと、おどけたようにいいました。すると、鹿《しか》の娘《むすめ》は、とてもしんけんな目《め》をして、しばらく考《かんが》えてから、

「それはあなた、きっと、売《う》り方《かた》がわるいのです。」

と、いいました。そのきっぱりした口《くち》ぶりは、なんだか、おふくろににていました。こい

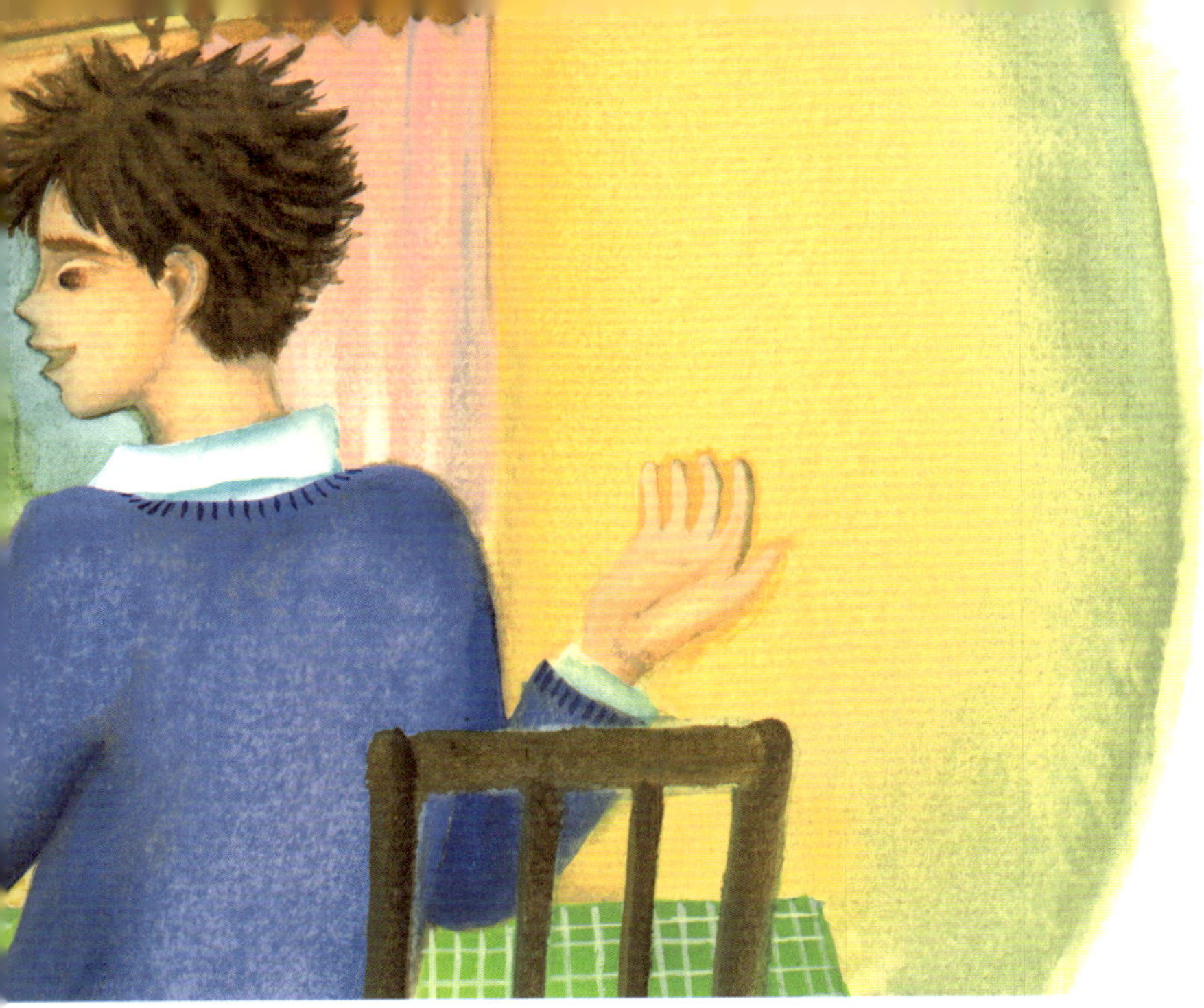

つ、鹿《しか》のくせに、ぼくに説教《せっきょう》する気《き》かしらと思《おも》っていますと、鹿《しか》はこんどは、しみじみとした口《くち》ぶりで、

「それじゃ、わたしが、なんとか考《かんが》えてあげましょう。」

と、いいました。きみに考《かんが》えてもらったって……と、わたしがいおうとしますと、鹿《しか》は、こんなことをいいました。

「ほら、よくいうでしょ。鹿《しか》の智恵《ちえ》は、神《かみ》の智《ち》恵《え》って。」

「…………。」

そんなことわざあったかなあと、へんな顔《かお》をして、わたしは鹿《しか》を見《み》つめました。ところが鹿《しか》は、もうほんとうに、しんけんなのです。

「わたしが、きっといい売《う》り方《かた》を考《かんが》えてあげます。そのうち、町《まち》じゅうの人《ひと》たちが、ジャムなら森野《もりの》屋《や》って思《おも》うようにしてあげます。一日《にち》だけ、待《ま》ってみてくださいい。あしたの晩《ばん》には考《かんが》えがまとまります。鹿《しか》の智恵《ちえ》は、神《かみ》の智恵《ちえ》ですからね。」

鹿《しか》は、そういうと、食《た》べかけの白《しろ》パンを、ぺろりとたいらげて、

「ね、あなたも、あついお茶《ちゃ》を一ぱいいかがですか。」

と、いいました。そして、さっさと立《た》ちあがって、なれた手《て》つきで、わたしのために、ロシア紅茶《こうちゃ》をいれてくれたのです。

つぎの夜《よる》、やっぱり七時《じ》すぎに、鹿《しか》の娘《むすめ》は、

やってきました。

わたしが、ランプをともして、夕食《ゆうしょく》を食《た》べていますと、トントンと、ドアをたたいたのです。鹿《しか》の娘《むすめ》は、青《あお》いネッカチーフをかぶっていました。小《ちい》さな手《て》さげ袋《ぶくろ》を持《も》っていました。そして、わたしがドアをあけるなり、

「いい考《かんが》え、いい考《かんが》え。」

と、小屋《こや》にとびこんできました。そうして、せまい小屋《こや》の中《なか》でおどりまわるものですから、わたしは、

「すこしおちついて、ロシア紅茶《こうちゃ》でも飲《の》んだら?」

といいながら、たなから、新《あたら》しいジャムのびんをおろしました。あれはたしか、前《まえ》の年《とし》にこしらえた、いちじくのジャムでした。それをわたしが、テーブルの上《うえ》に置《お》いたとたん、鹿《しか》は持《も》ちあげて、

「ほうら、やっぱりね、これだからいけません。」

なんていうのです。

「なにがいけないのさ。」

「レッテルです。レッテルがいけません。」

「レッテル？」

わたしは、ジャムのびんにはりつけられたレッテルを、しげしげと、ながめました。白《しろ》いレッテルには、〈森野屋《もりのや》のいちじくジャム〉と、印刷《いんさつ》してあり、そのあとに、わたしのこの小屋《こや》の住所《じゅうしょ》とわたしの名《な》まえが、小《ちい》さくつづいていました。鹿《しか》は、それを見《み》つめて、

「こんな殺風景《さっぷうけい》なレッテルじゃ、売《う》れるものも売《う》れません。」

というのです。

「わたしが、いいレッテル、つくってあげましょう。」

それから、手《て》さげ袋《ぶくろ》の中《なか》からとりだしたのは、わたしが、これまで見《み》たこともないような美《うつく》しい絵《え》の具《ぐ》でした。それは、紅《べに》と藍色《あいいろ》と萌黄《もえぎ》の三色《しょく》だけでした。が、四角《しかく》い箱《はこ》の中《なか》に、まるくかためられていて、そのそれぞれが、なんだかこう、うっとりするほど深《ふか》くていい色《いろ》あいなのです。

「いい絵《え》の具《ぐ》でしょ。」

と、鹿《しか》はいいました。それから、手《て》さげの中《なか》から筆《ふで》を三本《ぼん》とりだして、

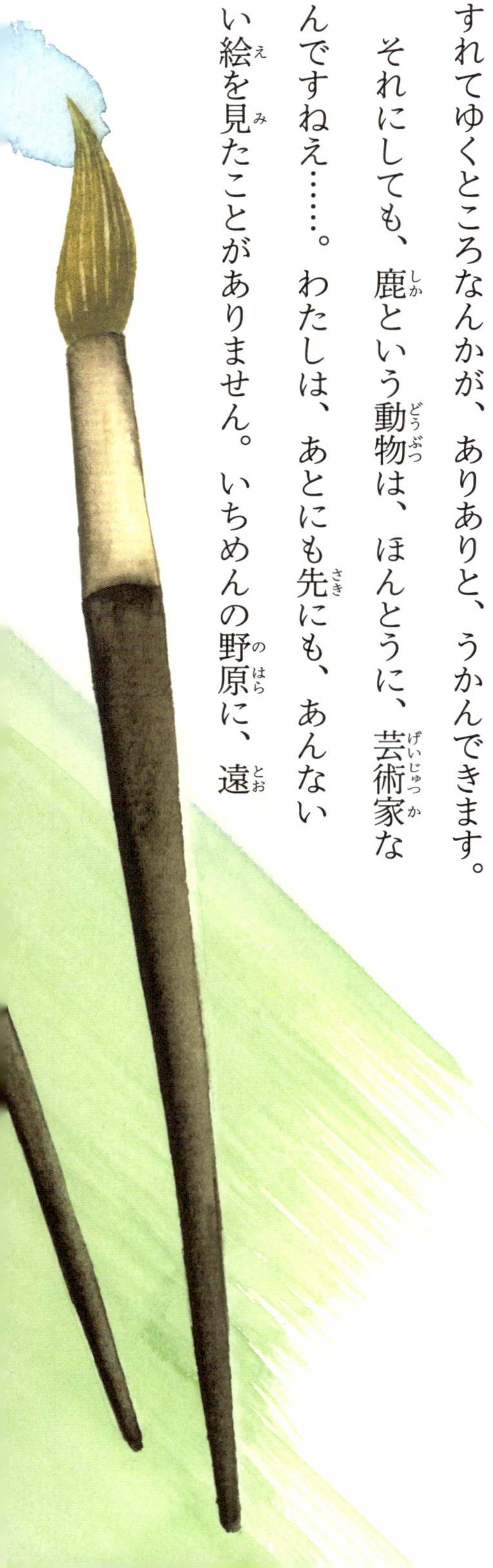

「いい筆《ふで》でしょ。」

と、いいました。その筆《ふで》も、なんだかかわっていました。まるで、鹿《しか》の毛《け》でこしらえたような感《かん》じの筆《ふで》でした。つぎに、手《て》さげから出《で》てきたのが、小《ちい》さく切《き》った和紙《わし》のたば。この三つをテーブルの上《うえ》にならべると、鹿《しか》はいいました。

「いまからわたしが、森野屋《もりのや》の新《あたら》しいレッテルをこしらえてあげますからね。」

そうして、さっそく、仕事《しごと》をはじめたのです。

ほのぐらいランプの下《した》で、白《しろ》い和紙《わし》の上《うえ》に、ふしぎな風景画《ふうけいが》が、ゆっくりとえがかれてゆくようすを、わたしはいまも、はっきり思《おも》いだしますよ。目《め》をつぶれば、和紙《わし》の上《うえ》に、赤《あか》い絵《え》の具《ぐ》がまるくにじんで花《はな》びらになってゆくところや、遠《とお》い山《やま》なみの線《せん》がすうっとかすれてゆくところなんかが、ありありと、うかんできます。

それにしても、鹿《しか》という動物《どうぶつ》は、ほんとうに、芸術家《げいじゅつか》なんですねえ……。わたしは、あとにも先《さき》にも、あんないい絵《え》を見《み》たことがありません。いちめんの野原《のはら》に、遠《とお》

い森《もり》、そして、そのむこうに、うす紫《むらさき》の山《やま》なみ……と、こんなふうに話《はな》したって、なんのことはない、平凡《へいぼん》な風景画《ふうけいが》のようですが、その色《いろ》が、もう、なんともいえないのです。そして、その色《いろ》あいをじっと見《み》ていますと……ふしぎですね、えがかれていないものまでが、見《み》えてくるのですから。たとえば、森《もり》の中《なか》には、野《の》いばらが咲《さ》いていたり、小川《おがわ》が流《なが》れていたり、遠《とお》い山道《やまみち》を、こえてゆく鹿《しか》の群《む》れが、ちらちらと見《み》えたりするのです。するともう、山《やま》を吹《ふ》く風《かぜ》の音《おと》まで聞《き》こえてくるような気《き》がします。野《の》ばらのにおいまで、わかる気《き》がします。

「ふしぎな絵《え》だねえ。」

と、わたしはため息《いき》をつきました。鹿《しか》はうなずいて、その絵《え》の上《うえ》のほうに、黒《くろ》く大《おお》きな字《じ》で、

《森野屋《もりのや》のジャム》

と書《か》き、下《した》に〈製造者《せいぞうしゃ》・森野一郎《もりのいちろう》〉と、小《ち》さく書《か》きました。そしてそれを、いちじくジャムのびんにぴたりとあてて、

「こんな感《かん》じです。」

といいました。

一瞬《いっしゅん》、わたしは、ひざをたたきました。うん、これなら売《う》れる！　と。
レッテルというのは、ほんとうにふしぎなものです。あれひとつで、中《なか》の食物《しょくもつ》は、おい

しそうにも、まずそうにも見《み》えるのですから。そして、鹿《しか》のレッテルをあててみますと、もうそれだけで、わたしのつくったジャムは、日本《にほん》じゅうのどこのジャムよりも、すばらしく思《おも》えたのです。

鹿《しか》は満足《まんぞく》そうにうなずくと、

「じゃあこれを、とりあえず三百枚《びゃくまい》ほどかきましょうか。」

と、いいました。そして、それからというもの、もう、わきめもふらずに、レッテルをつくりはじめたのです。おなじ風景画《ふうけいが》のレッテルがあとからあとから生《う》まれます。わたしはその横《よこ》でジャムのびんにそのレッテルをはってゆきます。

鹿《しか》のレッテルづくりは、それからいく晩《ばん》つづいたでしょうか。なにしろ、一枚《まい》一枚《まい》を手《て》描《が》きにするのですから、容易《ようい》なことではありません。それでも、鹿《しか》は、骨身《ほねみ》おしまず働《はたら》いてくれました。

そしてある日《ひ》、車《くるま》一台《だい》ぶんの〈商品《しょうひん》〉ができあがると、わたしは勇《いさ》んで、車《くるま》を運転《うんてん》して町《まち》へ出《で》たのです。

いつかのジャム屋《や》が、またしつこくやってきたと、はじめはみんな思《おも》ったらしいのです。どの町《まち》のどの店《みせ》の主人《しゅじん》も、わたしの顔《かお》を見《み》ると、申《もう》しあわせたように、いやな顔《かお》をしました。が、レッテルをかえたジャムのびんを、ひと目《め》見《み》るなり、ほう、という顔《かお》つきになり、びんを手《て》にとって、すいこまれるように見《み》いったのです。そして、しばらくしてから顔《かお》をあげると、まるで夢《ゆめ》をみたあとみたいな顔《かお》つきになって、

「じゃあ、すこし、置《お》いていってくださいよ。」

と、いうのです。わたしは、大《おお》よろこびで、一店《てん》につき十個《こ》ぐらいずつ置《お》かせてもらいました。ところが、そのジャムがたちまち売《う》れてしまって、追加《ついか》の注文《ちゅうもん》がきたのにはおどろきました。ある食料品店《しょくりょうひんてん》の主人《しゅじん》なんか、わざわざ、わたしの小屋《こや》まで、たずねてきたのです。あのときは、ちょっと、きまりがわるかったですね。だって、工場《こうじょう》とは名《な》ばかりのほったて小屋《ごや》で、たったひとりでジャムを煮《に》ていたんですから。ところが相手《あいて》は、失望《しつぼう》したようすもみせずに、ますますわたしのジャムにほれこんで、百《ひゃく》びんも注文《ちゅうもん》してゆきました。

それからはもう、とんとん拍子《びょうし》。あっちの町《まち》からも、こっちの町《まち》からも注文《ちゅうもん》がきて、わたしたちは、休《やす》むひまもなくなりました。わたしは、大《おお》わらわでジャムをこしらえ、鹿《しか》は

必死《ひっし》になってレッテルをこしらえます。

鹿《しか》の娘《むすめ》は、毎晩《まいばん》、わたしの小屋《こや》にやってきて、ほのぐらいランプの下《した》で絵筆《えふで》をにぎっていましたが、ふたりは、ほとんど話《はなし》をするひまもなくなっていました。できあがったレッテルは、テーブルの上《うえ》に、びっしりとならび、テーブルがいっぱいになれば床《ゆか》にならび、もう、足《あし》のふみ場《ば》もなくなります。そのあいだにわたしはできあがったジャムをびんにつめて、レッテルをはってゆきます。

なんとまあ、息《いき》もつけないほどのいそがしさ！

夜《よ》ふけに、やっと手《て》のあいた鹿《しか》の娘《むすめ》が、水《みず》をくんでお茶《ちゃ》のしたくをするころ、わたしも仕事《しごと》をおえて、のりだらけの手《て》を洗《あら》うのでした。

ひと仕事《しごと》おえたあとで、ふたりは、ロシア紅茶《こうちゃ》を、ゆっくりと飲《の》みました。大《おお》きな、まんまるの月《つき》が、小屋《こや》の窓《まど》からわたしたちを見《み》つめていました。

その月《つき》の光《ひかり》をあびて、ふたりは、あした出荷《しゅっか》する予定《よてい》のジャムの山《やま》を、満足《まんぞく》そうに見《み》つめるのです。百《ひゃく》びんのジャムが、あした一日《にち》で、とぶように売《う》れてしまうことを、わたしは知《し》っていました。そして、そのあとで、また、もっとたくさんの注文《ちゅうもん》を受《う》けて、小屋《こや》にもどってこなければならないだろうことも……。

「ちょっと、いそがしくなりすぎたねえ。」

と、わたしは苦笑《くしょう》しました。けれども、そのぶんだけ、わたしのふところも、ゆたかになっていました。

「きみに、なにかお礼《れい》をしなくちゃと思《おも》ってるんだ。」

わたしは、鹿《しか》の娘《むすめ》を見《み》つめて、まえから考《かんが》えていたことを、いいかけました。ところが、彼女《かのじょ》は、びっくりしたような顔《かお》で、

「お礼《れい》だなんて、とんでもありません。」

と、いいました。それからうつむいて、長《なが》いまつげの目《め》をしばたたきながら、思《おも》いつめたように、

「わたし、ほしいものなんか、なんにもありません。」

といいました。

「ほしいもの、なんにもないっていったって……。」

わたしは、こまりました。彼女《かのじょ》が、たとえば、人間《にんげん》の娘《むすめ》ならば、洋服《ようふく》でもマフラーでも、

プレゼントしたでしょう。ところが鹿《しか》の娘《むすめ》となると、これはいったい、なにを買《か》ってやったらいいものでしょうか……。わたしがこまっていますと、鹿《しか》はまた、大《おお》きな目《め》で、わたしを見《み》つめて、

「ほんとうに、ほしいものは、なんにもないんです。」

それから、とても小《ちい》さい声《こえ》で、

「いつまでもいっしょにいられたら、それでいいんです。」

と、いったのです。わたしは、きょとんとして、彼女《かのじょ》を見《み》つめました。すると彼女《かのじょ》は、つづけます。

「これからわたしといっしょに、森野屋《もりのや》を大《おお》

きくしましょう。」

「森野屋《もりのや》を、大《おお》きくするっていったって……。」

と、わたしは口《くち》ごもりました。こんな小《ちい》さな店《みせ》を、これからさき、どうひろげていったらいいというのでしょう。わたしは、会社《かいしゃ》づとめをとちゅうでやめたような人間《にんげん》です。黙々《もくもく》と、自分《じぶん》ひとりの仕事《しごと》にいそしむことはできても、こと、社会《しゃかい》へむけて目《め》をひらくとなると、どうも、おじけづいてしまうような男《おとこ》なのです。わたしはどもどもと、つぶやきました。

「店《みせ》を大《おお》きくするとなったら、ぼくひとりではやってゆけないよ。人《ひと》も、やとわなければならない。車《くるま》ももう一台買《だいか》わなけりゃならない。その車《くるま》を運転《うんてん》する人《ひと》をやとって……販売《はんばい》先《さき》をひろげて……。」

わたしは、ため息《いき》をつきました。ああ、そんなめんどうなこと、とてもいやだなあと思《おも》ったのです。わたしは、なまけ者《もの》でもありました。小《ちい》さな商売《しょうばい》が、それなりに、はんじょうして、自分《じぶん》ひとりが、なんとかゆたかに暮《く》らしてゆけたら、あとの時間《じかん》は、草《くさ》の上《うえ》にねころがって、本《ほん》でも読《よ》んでいたいと、そんなふうに思《おも》っていたのです。

ところが、鹿《しか》は首《くび》をふって、

「森野屋《もりのや》を大《おお》きくするってことはね、かならずしも、そういうことじゃありません。もっとジャムの種類《しゅるい》を、ふやして店《みせ》を充実《じゅうじつ》させることです。」

と、いいました。

「ジャムの種類《しゅるい》をふやす？　……なるほど……。」

思《おも》わずわたしは、身《み》をのりだしました。すると鹿《しか》の娘《むすめ》はうなずいて、

「いつまでも、あんずと、いちごと、いちじくのジャムだけではいけません。森野屋《もりのや》を一流《いちりゅう》の店《みせ》にするためには、もうすこしいろいろのジャムをこしらえなくては。ほかの店《みせ》ではけっして手《て》にはいらないような、めずらしいジャムをつくることです。」

「めずらしいジャム？」

郵 便 は が き

料金受取人払郵便

牛込局承認

3055

差出有効期間
令和7年1月9日
切手はいりません

162-8790

東京都新宿区
早稲田鶴巻町551-4

あすなろ書房
愛読者係 行

■ご愛読いただきありがとうございます。■

小社のホームページをぜひ、ご覧ください。新刊案内や、話題書のことなど、楽しい情報が満載です。
本のご購入もできます➡http://www.asunaroshobo.co.jp
（上記アドレスを入力しなくても「あすなろ書房」で検索すれば、すぐに表示されます。）

■今後の本づくりのためのアンケートにご協力をお願いします。

お客様の個人情報は、今後の本づくりの参考にさせて頂く以外には使用いたしません。下記にご記入の上（裏面もございます）切手を貼らずにご投函ください。

| | | |
|---|---|---|
| フリガナ | 男・女 | 年齢 歳 |
| お名前 | | |
| ご住所 〒 | | お子様・お孫様の年 歳 |
| e-mail アドレス | | |
| ●ご職業 1主婦 2会社員 3公務員・団体職員 4教師 5幼稚園教員・保育士 6小学生 7中学生 8学生 9医師 10無職 11その他（ ） | | |

※引き続き、裏面もご記入ください。

● この本の書名（　　　　　　　　　　　　　　　　　　　　　　　　　）
● この本を何でお知りになりましたか？
1 書店で見て　2 新聞広告（　　　　　　　　　　　　　　　新聞）
3 雑誌広告（誌名　　　　　　　　　　　　　　　　　　　　）
4 新聞・雑誌での紹介（紙・誌名　　　　　　　　　　　　　）
5 知人の紹介　6 小社ホームページ　7 小社以外のホームページ
8 図書館で見て　9 本に入っていたカタログ　10 プレゼントされて
11 その他（　　　　　　　　　　　　　　　　　　　　　　　）
● 本書のご購入を決めた理由は何でしたか（複数回答可）
1 書名にひかれた　2 表紙デザインにひかれた　3 オビの言葉にひかれた
4 ポップ（書店店頭設置のカード）の言葉にひかれた
5 まえがき・あとがきを読んで
6 広告を見て（広告の種類〈誌名など〉　　　　　　　　　　）
7 書評を読んで　8 知人のすすめ
9 その他（　　　　　　　　　　　　　　　　　　　　　　　）
● 子どもの本でこういう本がほしいというものはありますか？
（　　　　　　　　　　　　　　　　　　　　　）
● 子どもの本をどの位のペースで購入されますか？
1 一年間に10冊以上　2 一年間に5～9冊
3 一年間に1～4冊　4 その他（　　　　　　）

● この本のご意見・ご感想をお聞かせください。

※ご協力ありがとうございました。ご感想を小社のPRに使用させていただいてもよろしいでしょうか　（1 YES　2 NO　3 匿名ならYES）
※小社の新刊案内などのお知らせをE-mailで送信させていただいても
よろしいでしょうか　（1 YES　2 NO）

「そう。たとえば、野《の》ばらのジャム、桑《くわ》の実《み》のジャム、山《やま》すもものジャム、木《き》いちごのジャム、こけもものジャム、かりんのジャム、ラズベリーのジャム、野菊《のぎく》のジャム、アカシヤの花《はな》のジャム……。」

わたしはうっとりと、鹿《しか》の娘《むすめ》の声《こえ》を聞《き》きました。目《め》をつぶれば、新《あたら》しいジャムが、つぎつぎにうかんできます。そして、そのひとつひとつのびんに、夢《ゆめ》のように美《うつく》しいレッテルがはられてゆくのまでが、見《み》えてくるのでした。

「いいなあ……。」

と、わたしは、ため息《いき》をつきました。

「そうしたいね。ジャムの種類《しゅるい》をふやせるものなら、ふやしたいねえ。」

でも、そのためには、材料《ざいりょう》を仕入《しい》れなければなりません。かりんのジャムをつくるには、どっさりのかりんの実《み》を、野《の》ばらのジャムをつくるには、どっさりの野《の》ばらを……。ああ、そんなこと、いまの状態《じょうたい》じゃとてもむりだなあと、わたしが考《かんが》えていますと、鹿《しか》は、声《こえ》をひそめて、

「ねえ、まずはじめに、ブルーベリーのジャムを、こしらえてみませんか。だれも知《し》らない、ブルーベリーの野原《のはら》を、教《おし》えてあげますから。」

と、いったのです。わたしは、おどりあがって、

「ほんとうかい？」

と、さけびました。鹿《しか》はうなずきました。

「はい。それじゃ、あした一日《にち》、仕事《しごと》を休《やす》んでください。ブルーベリーのたくさんみのっている秘密《ひみつ》の場所《ばしょ》に、わたしが、おつれしますから。」

そういうと、鹿《しか》の娘《むすめ》は、大《おお》きな目《め》をキラキラさせて、わたしをじっと見《み》つめ、わたしはまぶしくて、思《おも》わずうつむきました。

翌日《よくじつ》、わたしは、約束《やくそく》どおり、仕事《しごと》を休《やす》んで、森《もり》の奥《おく》へ、かごをせおってでかけました。鹿《しか》の娘《むすめ》とは、大《おお》きなイチイの木《き》のところで待《ま》ちあわせる約束《やくそく》でしたが、わたしがそこへ行《い》ってみますと、もう、つややかな毛《け》なみの鹿《しか》が、ちゃんといて、わたしを待《ま》っていました。やあ、ずいぶん早《はや》かったねえ、と、いおうとして、わたしはだまりました。ふと、へんな感《かん》じがしたのです。それは夜《よる》のランプのあかりで見《み》る鹿《しか》と、昼《ひる》の日《ひ》の光《ひかり》で見《み》る鹿《しか》とのちがい……とでもいいましょうか。まぶしい森《もり》の、木《こ》もれ陽《び》の下《した》に立《た》っている牝鹿《めじか》は、まさに、野《や》生《せい》の鹿《しか》でした。ゆうべ、青《あお》いネッカチーフをかぶってきて、絵《え》の具《ぐ》で絵《え》をかいたり、紅茶《こうちゃ》を飲《の》んだりした鹿《しか》の娘《むすめ》とはどことなく、感《かん》じがちがうのです。それでもあの目《め》だけは――長《なが》いまつげにふちどられたすずしい目《め》だけは、まぎれもなく、彼女《かのじょ》のものでした。

わたしは、やっと安心《あんしん》して、

「こんにちは、ぼくは、こんな大《おお》きなかごをせおってきたよ。ブルーベリーを、どっさりつんで帰《かえ》ろうと思《おも》ってね。」

と、いいました。じっさい、わたしの心《こころ》は、はずんでいました。これから、森野屋《もりのや》の製品《せいひん》を、ひとつふやすのだと思《おも》うと、もう、うれしくてたまりません。

「ぼくはこれから、ブルーベリーの煮方《にかた》をとっくり研究《けんきゅう》してみようと思《おも》うんだ。いろいろやってみて、商品《しょうひん》として売《う》り出《だ》すのは、来年《らいねん》あたりかなあ。きみも、レッテルの図案《ずあん》、考《かんが》えといてほしいなあ。なにかこう、思《おも》いっきり色《いろ》のきれいな、西洋《せいよう》ふうのレッテルにして、字《じ》も大《おお》きくしてみたらどうだろう。」

わたしは、いつになく、おしゃべりでした。ところが、鹿《しか》の娘《むすめ》のほうは、いつになく無《む》口《くち》で、だまったまま、ひたひたと、わたしの前《まえ》を進《すす》んでゆくのです。

こうしてふたりは、森《もり》の小道《こみち》を、どれほど進《すす》んだでしょうか、これまできたこともないほど遠《とお》いところまで歩《ある》いたと思《おも》ったとき、とつぜん、ぱっとひらけた場所《ばしょ》に出《で》たのです。

そこが、ブルーベリーのしげみでした。たくさんのブルーベリーの木《き》が、びっしりとか

たまっていました。鹿《しか》の娘《むすめ》はふりむいて、じっとわたしを見《み》つめました。ここが、秘密《ひみつ》の
ブルーベリー畑《ばたけ》ですよ、というように……。

たしかに、そこは、しいんと静《しず》かで、だれひとりいないどころか、これまでも、だれにも荒《あ》らされたことのない場所《ばしょ》のようでした。ここで、毎年毎年《まいとしまいとし》、あの小《ちい》さな青《あお》い実《み》がみのり、だれにもつまれることなく、熟《う》れて地《ち》に落《お》ちていったのでしょうか……。わたしはそっと、ブルーベリーのしげみの中《なか》に、ふみこんでゆきました。そうして手《て》をのばして、濃《こ》い青色《あおいろ》の、小《ちい》さな実《み》をひとつぶ、もぎとりました。ほんのりと、白《しろ》い粉《こ》のふきでた、みずみずしいくだものです。口《くち》にふくめば、あまずっぱい味《あじ》がします。よし、これでこんど、お酒《さけ》もつくってみよう、と、そんなことを考《かんが》えながら、わたしは、ブルーベリーの実《み》をつみにかかりました。鹿《しか》も、手《て》つだいます。かごの中《なか》の、ブルーベリーの実《み》は、みるみるふえてゆきます。わたしはのどがかわいていましたから、ときどき、ブルーベリーの実《み》を口《くち》にはこびました。サファイア色《いろ》をした小《ちい》さな木《こ》の実《み》は、舌《した》の上《うえ》にのせれば、しんとつめたくて、一滴《てき》の泉《いずみ》の水《みず》のようでした。

そうして、どれほど、ブルーベリーをつみつづけたでしょうか。ふっと、うしろにだれかがいるような気《き》がして、わたしはふりむきました。そして、息《いき》をのんだのです。

わたしのうしろには、みごとな角《つの》の牡鹿《おじか》が、すっくりと立《た》っていました。

おどろいて、わたしが、棒《ぼう》のように立《た》ちすくんでいますと、牡鹿《おじか》は、わたしの顔《かお》をじっと見《み》つめ、おごそかな声《こえ》で、

「娘《むすめ》が、たいへんお世話《せわ》になりまして。」

と、いいました。

娘《むすめ》？

わたしは、鹿《しか》の娘《むすめ》と、この牡鹿《おじか》を見《み》くらべました。なるほど、牡鹿《おじか》は、老《お》いていました。それじゃ、あなたは……あなたは、つまり、この娘《むすめ》さんのお父《とう》さんなんですね……。わたしは、緊張《きんちょう》しました。なにかあいさつをしなければ、と、思《おも》いました。そこで、おじぎをひとつすると、しどろもどろに、

「い、いえ、お世話《せわ》になっているのは、こちらのほうで……。」

と、いいました。まったくです。あんなにいいレッテルを、たくさんつくってもらって、そのうえ秘密《ひみつ》のくだものの場所《ばしょ》まで教《おし》えてもらって、そのお礼《れい》のほうを、わたしはまだ、ひとつもしていないのですから。すると、牡鹿《おじか》は、おおらかにうなずいて、

「おたがいさまです。ゆくゆくは、いっしょになるあなたたちですから。」

と、いったのです。

(ゆくゆくは、いっしょになる?)

わたしは、きょとんとして、牡鹿《おじか》を見《み》つめました。

「あのう……それは、いったい、どういうことでしょう……。」

なんとわたしは、あのとき、まのぬけた質問《しつもん》をしたのでしょうか。知《し》れたことじゃありませんか、いっしょになるとは、結婚《けっこん》するという意味《いみ》でしたのに……。でもわたしは、今《いま》の今《いま》まで、まさかなんでも、鹿《しか》をお嫁《よめ》にしようなどとは思《おも》ってもいなかったのです。そっと目《め》をうつしますと、鹿《しか》の娘《むすめ》は、長《なが》いまつげをふせて、うつむいています。ああ、そうだったのかと、やっとわたしにはわかりました。この娘《むすめ》が、わたしのために、あんなにいっしょうけんめいレッテルをこしらえつづけてくれたのは、あれは、つまりそういう気《き》持《も》ちからだったのかと……。わたしは、ふっと、胸《むね》の中《なか》が、あつくなりました。けれどもあのとき、わたしは、思《おも》ったとおりのことをきっぱりといってしまったのです。

「でも、ぼくは人間《にんげん》だし、彼女《かのじょ》は鹿《しか》だし、いっしょになることはできません。」

すると牡鹿《おじか》はうなずいて、

「そこです。」

と、うなるようにいいました。

「そこが相談《そうだん》です。もしも、わたしの娘《むすめ》が、人間《にんげん》に姿《すがた》をかえて、あなたのところにたずねていったら、そのときは、お嫁《よめ》にしてくれますか？」

「…………。」

そんなことが、できるかなあと思《おも》いながら、わたしは、うなずきました。そして、小《ちい》さな声《こえ》で、

「もちろんです。」

と、答《こた》えたのです。じっさい、わたしは、鹿《しか》の娘《むすめ》が、きらいではありませんでした。もしも、彼女《かのじょ》が人間《にんげん》に姿《すがた》をかえることができるのなら結婚《けっこん》してもいいと思《おも》えたのです。あんなにやさしくて、しっかりしていて、そのうえ、絵《え》の才能《さいのう》のある娘《むすめ》は、人間《にんげん》の世界《せかい》にだって、めったにいませんからね。わたしは、いくどもうなずきながら、

「ぼくには、もったいないような娘《むすめ》さんです。」

と、つけくわえました。牡鹿《おじか》は、満足《まんぞく》そうな顔《かお》をして、

「それでは、しばらくのあいだ、わたしが娘《むすめ》をあずかります。どうぞ、待《ま》っていてくださ い。」

と、いいました。鹿《しか》の娘《むすめ》は、キラキラ光《ひか》る目《め》で、じっとわたしを見《み》つめていました。わたしは、しんけんにうなずいて、

「はい。いつまでも、待《ま》っていましょう。」

と、いいました。

このとき、きゅうに陽《ひ》がかげって、あたりがほのぐらくなりました。風《かぜ》が吹《ふ》いて、ブルーベリーの小《ちい》さな木《こ》の葉《は》が、ざわざわと、ゆれだしました。すると、親子《おやこ》の鹿《しか》は、わたしの目《め》の前《まえ》から、すうっと、遠《とお》ざかっていったのです。まるで、まぼろしが、消《き》えてゆくように。

「あのう。」

と、わたしは呼《よ》びかけました。

「いつ、お嫁《よめ》にきてくれるのですかー。」

すると、牡鹿《おじか》は、遠《とお》ざかりながら、ふ

りむきもせずに、いいました。

「この子《こ》が、人間《にんげん》の姿《すがた》になれたときに。」

と。

「いったい、どうやって、人間《にんげん》の姿《すがた》になるのですかー。」

「これから、さまざまの花《はな》を食《た》べ、さまざまの泉《いずみ》の水《みず》を飲《の》み、さまざまの呪文《じゅもん》をとなえて、となえおわった月夜《つきよ》にきっと。」

わたしは、心《こころ》の中《なか》で、くりかえしました。

(さまざまの花《はな》を食《た》べ、さまざまの泉《いずみ》の水《みず》を飲《の》み、さまざまの呪文《じゅもん》をとなえ、となえおわった月夜《つきよ》にきっと……。)

すると、とつぜん、やりきれないような思《おも》いが、わたしの胸《むね》にこみあげてきたのです。

「おーい。」

と、わたしは呼《よ》びました。それから、走《はし》って、鹿《しか》のあとを追《お》いかけました。

「そんなこと、しなくてもいいんだよ。鹿《しか》のままでもいいんだよ。毎晩《まいばん》、ぼくの小屋《こや》でいっしょにロシア紅茶《こうちゃ》が飲《の》めるなら、それでじゅうぶんなんだから。」

わたしは、あのとき、本気《ほんき》でそう思《おも》ったのです。けれども、あたりは、いつのまにか、いちめんの霧《きり》。二匹《ひき》の鹿《しか》の姿《すがた》は、もうどこにもなく、ただ、遠《とお》くから、牡鹿《おじか》のひくい歌声《うたごえ》がひびいてくるばかりでした。

風《かぜ》に吹《ふ》かれて森《もり》を走《はし》れば
木《こ》の実草《みくさ》の実《み》　はらはら落《お》ちる
鹿《しか》は四つ足《あし》
人《ひと》は二つ足《あし》
ほっほほ　ほほー

歌《うた》のおしまいは、まるで笛《ふえ》のようなはやしことばになっていて、この、「ほっほほ　ほほー」を、牡鹿《おじか》はいくどもいくども、くりかえしていま

したが、やがてその声《こえ》も、風《かぜ》の音《おと》といっしょになって、消《き》えてしまいました。

それから、わたしは、ふらふらと、自分《じぶん》の小屋《こや》にもどりました。気《き》がつくと、ブルーベリーのかごは、ちゃんと背中《せなか》にせおっていました。

「今夜《こんや》、あの子《こ》は、こないんだ。」

わたしは、ひとりごとをいいました。それからひっそりと、ブルーベリーの実《み》を洗《あら》って、ジャムをこしらえました。あの小《ちい》さな実《み》を、とろとろと煮《に》つめて、濃《こ》い紫色《むらさきいろ》の美《うつく》しいジャムを、心《こころ》をこめてつくったのです。そうして、夜《よる》になりますと、ふたりぶんのロシア紅茶《こうちゃ》のしたくをしました。

「さっきのブルーベリー、ほら、こんなジャムになったよ。味見《あじみ》してごらん。」

わたしは、そんなひとりごとをいいました。するとまた、やりきれないほどの悲《かな》しみが、こみあげてきました。

「鹿《しか》のまんまで、よかったんだよ。」

わたしは、ぽつりとつぶやきました。しみじみさびしいと思《おも》いました。

さびしい日々《ひび》が、いったいいく日《にち》、いや、何《なん》か月《げつ》つづいたでしょうか。わたしは、ときどき、森《もり》をさまよい歩《ある》いて、鹿《しか》の娘《むすめ》をさがしました。花《はな》の咲《さ》いているところ、泉《いずみ》のわいているところを、つぶさにしらべました。けれどもわたしは、森《もり》の中《なか》に野《の》ねずみ一匹《ぴき》、見《み》つけることはできなかったのです。

さびしい心《こころ》で、わたしは、黙々《もくもく》と、ジャムをつくりつづけました。軌道《きどう》にのりはじめた森野屋《もりのや》です。ジャムの注文《ちゅうもん》だけは、ひっきりなしにきましたから。すると、当然《とうぜん》、レッテルがなくなりました。鹿《しか》の娘《むすめ》がきて、絵《え》をかいてくれないかぎり、あれは一枚《まい》も、手《て》にはいるわけがないのです。

（こまったな。）

と、わたしは思《おも》いました。あのすばらしいレッテルがなくなったら、森野屋《もりのや》はどうなるか、わたしには、よくわかっていました。

ところがこのとき、印刷屋《いんさつや》をやっている弟《おとうと》が、ひょっこりやってきて、兄貴《あにき》、元気《げんき》でやってるか、森野屋《もりのや》は、だいぶ有名《ゆうめい》になってきたねえ、なんていうのです。そこでわたしが、レッテルをかく人《ひと》がこなくなってこまっている話《はなし》をしました。すると弟《おとうと》は、鹿《しか》の娘《むすめ》のかいたレッテルを見《み》て、それならこれを印刷《いんさつ》すればいいじゃないかといったのです。そうして、レッテルを三種類《しゅるい》ほど借《か》りてゆくと、三日後《みっかご》には、もう山《やま》ほど印刷《いんさつ》してとどけてくれました。見《み》ると、これが、なかなかよく刷《す》れていましてね、ま、原画《げんが》ほどではないにしても、色《いろ》なんかはきれいに出《で》ていて、わたしは満足《まんぞく》しました。いや、満足《まんぞく》しなければならないと思《おも》ったのです。つまり、彼女《かのじょ》が帰《かえ》ってくるまで、なんとか、このレッテルでしのごうと思《おも》ったのです。そうしてあとはもう、たったひとりで黙々《もくもく》と、ジャムをつくりつづけ、売《う》りつづけて、暮《く》らしました。さびしいさびしいと思《おも》いながら、暮《く》らしていたんです。じっさいわたしはあのとき、やせました。口数《くちかず》も少《すく》なくなり、めったにわらわなくなりました。

「あんた、いったいどうしたの。仕事《しごと》は、こんなにうまくいってるのに。」

と、ときどきたずねてくる親兄弟《おやきょうだい》に聞《き》かれましたが、わたしは、鹿《しか》の娘《むすめ》のことを、だれにも話《はな》すことはできませんでした。わたしの楽《たの》しみといえば、たったひとりで、ブルーベリーのお酒《さけ》を飲《の》むことだけでした。いつか、ジャムをつくった残《のこ》りのブルーベリーでお酒《さけ》をつくりましたら、これがおどろくほどコクのあるいいお酒《さけ》になりましてね、それを、夜《よ》ふけに、ちびちびとやりました。そうするとわたしの耳《みみ》に、かならず、鹿《しか》の娘《むすめ》の声《こえ》が聞《き》こえてくるのです。

「待《ま》っていて、もうすこしだから。わたしは、もう百《ひゃく》の花《はな》を食《た》べたわ。九十の泉《いずみ》の水《みず》を飲《の》んだわ。もうすこしだから、待《ま》っていて……。」

「わかった、わかった。」

わたしは、ひとりで、いくどもうなずくのでした。

そうして、何年《なんねん》すぎたでしょうかねえ、わたしは、変《か》わり者《もの》のジャム屋《や》と呼《よ》ばれ、としも三十をいくつかすぎました。

ある年《とし》の冬《ふゆ》でした。

ふりつづいた雪《ゆき》がやんで、まんまるの月《つき》が空《そら》にのぼったころ、だれかが、ほとほとと、小屋《こや》の戸《と》をたたきました。

「どなたですか。」

と、聞《き》きますと、戸《と》の外《そと》から、

「あたし、あたし。」

と、なつかしいあの声《こえ》が聞《き》こえてきたではありませんか。わたしは、どきっとしました。ふいに、もう息《いき》もできないほどのよろこびが、胸《むね》いっぱいにあふれてきたのです。わたしは、ドアにかけよると、目《め》をつぶって、おそるおそるドアをあけて、それからそおっと、目《め》をあけると……。

ああ、わたしの目《め》の前《まえ》には、二本足《ほんあし》の人間《にんげん》の娘《むすめ》が立《た》っていたのです。大《おお》きな、すずしい目《め》をした娘《むすめ》でした。長《なが》いまつげの娘《むすめ》でした。青《あお》いネッカチーフを風《かぜ》にはためかせながら、娘《むすめ》は、

「こんばんは。」

といいました。こんばんはと、答《こた》えようとして、わたしは声《こえ》がでませんでした。胸《むね》がいっぱいで、ほんとにもう、なにもいえなかったのです。わたしは、いそいそと、ロシア紅茶《こうちゃ》のしたくをしました。そして、月《つき》の光《ひかり》のさしこむテーブルに、新《あたら》しいテーブルかけをひろげたのです。

こうして、約束《やくそく》どおり、わたしたちは、結婚《けっこん》しました。

結婚式《けっこんしき》は、ふたりだけであげました。ブルーベリーのお酒《さけ》を飲《の》んで、これからはけっしてはなれませんと、風《かぜ》や木《き》や、空《そら》の雲《くも》に誓《ちか》ったのです。

はい、それからずっと、わたしたちは、いっしょに暮《く》らしています。彼女《かのじょ》は、やっぱり

絵《え》がうまくてねえ、いろんなレッテルをつくってくれましたが、結婚《けっこん》して、最初《さいしょ》にかいたのが、このブルーベリージャムのレッテルです。ほら、この紺色《こんいろ》の実《み》、みごとでしょう? まんまるでみずみずしくて、いまにも、あまいつゆがこぼれてきそうな絵《え》でしょう? これ、印刷《いんさつ》じゃなくて、手描《てが》きですよ。

秋《あき》になりますと、わたしたちは、あの秘密《ひみつ》のブルーベリーの野原《のはら》へ行《い》きました。それから、新《あたら》しくかりんの森《もり》や、山《やま》ぶどうの森《もり》も見《み》つけました。木《き》いちごのどっさりみのっているところなんかも、彼女《かのじょ》は、ようく知《し》っているのです。

おかげで森野屋《もりのや》は、ますますはんじょうしましてね、ジャムの種類《しゅるい》は、いま、三十七。レッテルの美《うつく》しさは、どこにも負《ま》けませんが、味《あじ》も、どこにも負《ま》けないつもりです。さ、このブルーベリーのジャム、おみやげにひとびん、さしあげましょう。

森野屋
のジャム
製造者・森野一郎

## 安房直子（あわ なおこ）

東京都に生まれる。日本女子大学在学中より、山室静氏に師事。大学卒業後、同人誌『海賊』に参加。1982年、『遠い野ばらの村』（筑摩書房）で野間児童文芸賞、1985年、『風のローラースケート』（筑摩書房）で新美南吉児童文学賞、1991年、『花豆の煮えるまで』でひろすけ童話賞を受賞。1993年、肺炎により逝去。享年50歳。没後も、その評価は高く、『安房直子コレクション』全7巻（偕成社）が刊行されている。

## 伊藤夏紀（いとう なつき）

東京都生まれ。2014年第3回MOE創作絵本グランプリ佳作を受賞。絵本に『くじゃくしんしとオルゴール』（「こどものとも年中向き」2022年9月号／福音館書店）『もぐたさんのあたらしいおへや』（「こどものとも年中向き」2024年6月号／文・小野寺悦子／福音館書店）『カメレオンたんてい・ドロン』（作・苅田澄子／あかね書房）『ハンカチやさんのチーフさん』（文・どいかや／白泉社）などがある。

本書に収録した作品テクストは、下記を使用しました。
『安房直子コレクション5 恋人たちの冒険』（偕成社）

安房直子 絵ぶんこ⑨
あるジャム屋の話

2024年10月30日　初版発行

安房直子・文
伊藤夏紀・絵

発行所／あすなろ書房
〒162-0041　東京都新宿区早稲田鶴巻町551-4
電話03-3203-3350（代表）
発行者／山浦真一

装丁／タカハシデザイン室
印刷所／佐久印刷所
製本所／ナショナル製本


ISBN978-4-7515-3209-6　NDC913　Printed in Japan